Wilde Mathilde. Het geheim van Paal 9

Klavertje Drie-serie

Suus en haar opa (AVI 5)

Geheime briefjes (AVI 5)

Koen Kampioen (AVI 5)

Wilde Mathilde op boevenjacht (AVI 6)

Wilde Mathilde. Het geheim van Paal 9 (AVI 6)

Wilde Mathilde en de dappere waakhond (AVI 6)

Marco en de boze wolf (AVI 6)

Help, ik zit gevangen! (AVI 6)

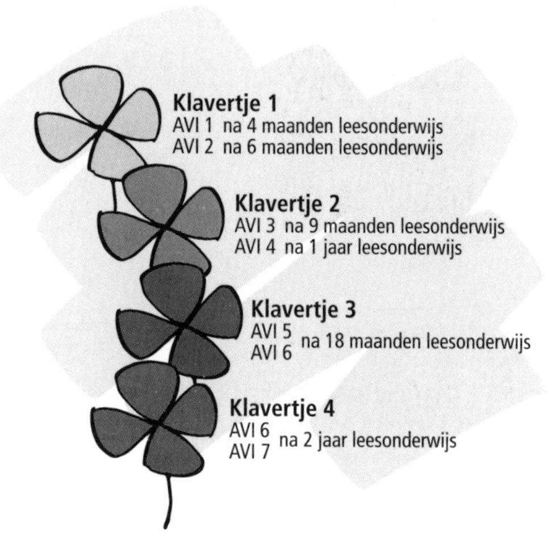

Wilde Mathilde
Het geheim van Paal 9

Margot Edens

2e druk

tekeningen
Monique Beijer

KLUITMAN

Voor Hilde

Boeken met dit vignet zijn op niveaubepaling geregistreerd
en gecontroleerd door KPC Groep te 's-Hertogenbosch.

Nur 282, 287/P010302

Omslagontwerp: Winny Koenn

Dit boek is gedrukt op chloorvrij gebleekt papier,
dat vervaardigd is van hout uit productiebossen.

www.kluitman.nl

Vakantie!

„Heb je alles?" vraagt mama.

Mathilde knikt.

„Stiften? Tekenboek? Knuffel? Strandspullen?"

„Jahaaa," zucht Mathilde.

„Zet je rugzak dan maar in de gang," zegt mama, „dan pakt papa alles in de auto."

Mathilde zet haar tas neer.

„Weg uit die gang, Mathilde, je loopt me voor de voeten," roept haar moeder.

Mathilde loopt naar de auto. Papa zet er net een tas in. „Zal ik helpen?" roept ze vrolijk.

„Eh... nee, liever niet," zegt haar vader.

Mathilde hoort het niet. Ze tilt een tas op. „Zwaar, hé," hijgt ze met een rood hoofd.

„Niet doen, Mathilde. Ga maar ergens spelen," zegt papa kortaf.

„Nou zeg, doe niet zo stom!" Kwaad loopt Mathilde weg.

Grote mensen zijn helemaal niet blij als ze met vakantie gaan, denkt ze. Ze kijken heel boos en je mag nooit helpen. Als ze het zo vervelend vinden, waarom gaan ze dan weg?

Ze stampt met haar nieuwe schoenen. Gympen zijn het, speciaal voor de vakantie gekocht. Rood met wit. Mathilde kijkt al weer wat vrolijker. Ze besluit nog even naar het speeltuintje om de hoek te gaan.

Het heeft geregend en onder de schommels ligt een diepe plas. Geen goede plek voor nieuwe gympen, denkt Mathilde. Dan maar het klimrek. Ze klimt tot bovenin en gaat aan het rek hangen. Ze grijpt van stang naar stang. Dat gaat goed, zeg!

Boem, plets. Opeens ligt Mathilde onder het klimrek. In een plas. Een grote modderplas.

Ze klemt haar tanden op elkaar om de pijn te verbijten. Dit vindt mama vast niet leuk, denkt ze, terwijl ze haar broek bekijkt. Nou ja, niks aan te doen. Mathilde hinkt een beetje als ze naar huis loopt.

„Mathilde! Hoe heb je alles zo snel vies gekregen?" Mama schudt haar hoofd.

„Ik viel van het klimrek en het doet heel erg zeer. Mag ik een snoepje voor de pijn?" Mathilde hinkt naar de snoeptrommel.

Mama lacht: „Zielenpoot! Nou, vooruit."

De telefoon gaat. „Mathilde," roept mama even later. „Het is voor jou! Jos."

Mathilde rent naar de telefoon, de hink is

opeens weg. Jos is haar vriend. Hij werkt bij de politie. „Hallo, Jos," zegt Mathilde blij.

„Hallo, meissie. Ik wou je even een goede reis wensen. En doe me een plezier: ga nou geen boeven vangen."

„Daar had ik juist zo'n zin in," grinnikt Mathilde. Ze heeft Jos een keer geholpen met het vangen van een boef. „Grapje! Maar ik wil wel schatgraven, dat lijkt me gaaf."

„Graaf jij maar lekker een kist met goud op," lacht Jos. „Stuur je me een kaart?"

„Een hele mooie," belooft Mathilde. „En als er iets spannends gebeurt, schrijf ik het onder de postzegel."

„Mathilde, we gaan! Ik wil de boot naar het eiland niet missen!" roept haar vader.

„O nee," kreunt Mathilde opeens, „mijn schep!" Ze gooit de telefoon neer en rent naar de schuur. Ze grijpt vlug haar schep en haar skateboard en dan springt ze in de auto. Het is vakantie!

Schildpadwolken

„Mag ik een ijsje?"

„Straks, Mathilde. We zitten nog een hele tijd op de boot." Haar vader en moeder gaan aan een tafeltje zitten.

Mathilde kijkt naar buiten. Ze ziet de kade kleiner worden. „Mag ik rondlopen?"

„Oké, maar niet te ver over de reling hangen. We willen je niet onderweg verliezen."

„Ik kan toch zwemmen!" roept Mathilde.

„Dat kan ik ook. Maar ik wil je niet naspringen als je te water gaat," zegt haar vader streng.

„Ik ga, hoor!" roept Mathilde. Eerst gaat ze naar beneden, waar de auto's staan en je de motor voelt dreunen. Het ruikt er naar diesel. Dan rent ze de smalle trap weer op, naar het bovendek.

Boven is het druk. Er staan allemaal groene bankjes waar mensen op zitten. Mathilde leunt over de reling. Overal om haar heen is zee. Blauwe zee, blauwe lucht. Zou dat nou zeelucht heten, denkt ze.

Mathilde gaat op een bankje zitten. Ze buigt zich voorover om te kijken of de zeelucht er dan anders uitziet. Maar ze ziet alleen maar benen.

Ze wil net weer rechtop gaan zitten als ze opeens een hoofd ziet. Mathilde knippert met haar ogen en nu ziet ze twee hoofden!

„Wij zitten..." zegt het ene hoofd.

„...op judo," gaat het andere hoofd verder.

„Ik heb de gele band," zegt Mathilde.

„Wij ook..." zegt hoofd één.

„...met een oranje slip," vult hoofd twee aan.

„Frank, Jelmer, niet op die vieze grond liggen. Kom eens naast me zitten," zegt een vrouw.

De hoofden verdwijnen. Mathilde draait ook weer omhoog en kijkt achterom.

Daar zit een tweeling. Dat moet wel, want het is net of er een spiegel tussen hen in staat. De ene jongen heeft bruin haar dat naar links waait. De wind wil het haar van de

spiegeljongen ook wel naar links waaien, maar dat lukt niet. Het staat stevig met gel naar rechts gekamd.

„Willen jullie een boterham?" vraagt de vrouw. Ze heeft lang, blond haar.

De jongens knikken en zwaaien met hun benen. „Met pindakaas," zeggen ze in koor.

„Wil je ook?" vraagt de vrouw aan Mathilde.

Mathilde knikt. „Ik ga hier op vakantie," zegt ze met haar mond nog een beetje vol.

„Wij ook," zeggen de jongens.

„Wie weet, tot ziens dan," lacht de vrouw.

Mathilde bedankt haar voor de boterham en loopt weer naar beneden. In de verte ziet ze het eiland. En terwijl overal om de boot heen de lucht blauw is, hangen boven het eiland wolken. Het zijn net grote schildpadden, die elkaar achterna zitten. Af en toe laten ze een straal zonlicht door. Dan lijkt het net of ze naar beneden plassen, op het donkere land eronder.

Mathilde loopt weer naar het autodek. Daar is het niet druk. Bij de boeg van de boot staat een man in een zwart pak te bellen. Als hij Mathilde ziet, houdt hij meteen op. Hij kijkt haar boos aan en loopt weg.

Mathilde staart hem verbaasd na. De man is heel lang en heeft een kaal hoofd. Mathilde ziet dat hij een gouden ring in zijn oor heeft. Ze haalt haar schouders op. Rare vent, denkt ze. Waarom doet hij zo vreemd?

Rood en groot

Het is druk op de pier. Er staan veel mensen te wachten om straks met de boot terug naar het vasteland te gaan. Maar eerst moet de boot leeg.

Als ze van de boot af rijden, draait Mathilde het raampje open. Ze steekt haar hoofd naar buiten. „Daaag!" roept ze naar Frank en Jelmer, die met hun moeder de kade op lopen. Drie handen zwaaien terug.

„Ken je die mensen?" vraagt haar moeder.

„Het is een tweeling," zegt Mathilde. Ze snuift even. „Wat ruikt het hier lekker!"

„Zeelucht," zegt haar vader opgewekt.

Ze rijden de kade af. Het eiland is maar klein. Al snel komen ze door een dorpje heen. „Hier moeten we rechts, en dan straks links de Badweg op," zegt mama.

Mathilde kijkt nieuwsgierig om zich heen.

„Hier moet het zijn!" roept haar moeder. Een zomerhuisje ligt verstopt achter struiken.

„Nee, daar staat al een auto," zegt Mathilde.

„Dan moet dat het zijn!" Haar moeder wijst naar een huisje aan de andere kant van de weg, hoog op een duin.

„Wauw," roept Mathilde.

Huize Cootje staat op een bordje boven de deur. Het lijkt wel het huisje van Hans en Grietje: bruin geverfd met rood-witte luiken naast de ramen. „Een rieten puntdak, wat leuk," zegt Mathildes moeder blij.

Ze zetten de auto onder aan het duin en lopen een trappetje op. Mathildes vader draait de sleutel om in het slot. De deur springt open.

„Hoera!" roept Mathilde. Ze rent meteen naar binnen. De woonkamer heeft aan drie kanten ramen. Rechts zie je de zee, links het dorp. En als je recht vooruit kijkt, het huisje aan de overkant en daarachter...

„Pap, mam, kom!" Mathilde trekt haar ouders de kamer in. „Kijk, de vuurtoren! Cool, hè?" roept ze. Boven de duinen steekt rood en groot de vuurtoren uit.

„Mag ik kiezen waar ik slaap?" Mathilde wacht het antwoord niet af. Ze rent naar boven. In de ene slaapkamer kijk je uit over de duinen en de zee. Snel rent ze naar de andere kant. Ja hoor, daar is-ie weer: de vuurtoren. „Mag ik hier slapen?" vraagt ze aan haar moeder.

„Ja hoor, lieverd," lacht die. „Kom je even helpen met uitladen?"

Even later zitten ze in de kamer. „Laten we straks nog even een wandeling maken," zegt mama, „dan kunnen we de buurt verkennen."

„Mag ik dan tv kijken?" vraagt Mathilde.

„Je kijkt het hele jaar al tv," roept haar vader, „je gaat mooi met ons mee!"

„Mag ik wel alleen even kijken of er leuke zenders op zitten?" smeekt Mathilde.

Haar moeder zucht. „Vooruit dan maar."

Mathilde zapt langs de zenders.

„Ho, dat is het nieuws! Stop eens, Mathilde. Even zien wat voor weer het morgen wordt."

„... op de eilanden is vals geld in omloop," zegt de nieuwslezer. Er komt een politieman in beeld. Hij vertelt dat de mensen hun geld goed moeten bekijken. „Wilt u vals geld meteen naar het politiebureau brengen?" vraagt hij.

„Hoe weet je dan dat het vals is?" wil Mathilde weten.

Haar vader pakt een briefje van tien euro en houdt het tegen het licht. „Kijk," zegt hij, „zie je dit tekentje? Dat is een watermerk. Een watermerk is heel moeilijk na te maken. Daar moeten we goed op letten."

„Ik stuur Jos een kaart van de vuurtoren," roept Mathilde blij, „en dan vertel ik hem dat er

hier vals geld is. Dat vindt hij vast cool. Ik hoop maar dat wij een vals briefje vinden!"

Haar ouders lachen. „Doe je een beetje kalm aan met boeven vangen?" zegt mama.

„Maak je geen zorgen, mam. Ik ga geen boeven vangen. Ik ga schatgraven!"

De schatkaart

„Gaan we naar het strand?" vraagt Mathilde de volgende ochtend.

Haar ouders horen het niet. Dat gaat ook een beetje moeilijk als je net een grote hap van je boterham hebt genomen.

„Wat een heerlijk weer," zegt haar moeder. „We boffen. Ik ga straks lekker met een boek op het terras zitten."

Die stomme ouders ook altijd, denkt Mathilde. Ze doen nooit wat kinderen leuk vinden. „Maar ik wil naar het strand," zegt ze.

„Vanmiddag, ik ga nu eerst lekker in de zon zitten," antwoordt haar moeder. „Waarom ga je niet even in de buurt rondkijken? Misschien zijn er wel meer kinderen in de andere huisjes."

„Oké, oké." Zuchtend slentert Mathilde naar buiten.

De andere huisjes liggen verspreid tussen de

duinen. Mathilde rent zo hard ze kan een hoog duin op. Hijgend kijkt ze om zich heen. Ze ziet niet veel mensen bij de andere huisjes. Alleen een grijze meneer en mevrouw die buiten in de zon zitten. Mathilde rent het duin weer af.

Er zijn hier wel mooie plekjes voor een geheime hut, denkt ze. Ze gaat op zoek naar takken om een piratenhut van te maken. Voor het huisje aan de overkant ligt een prachtige tak. Net als Mathilde de Badweg wil oversteken, gaat de deur van het huisje open.

Een vrouw met lang, blond haar komt naar buiten. Ze lacht als ze Mathilde ziet. „Hallo, dat is ook toevallig," zegt ze vriendelijk. Ze draait zich om. „Frank, Jelmer! Volgens mij wil het meisje van de boot met jullie kennismaken."

Mathilde hoort een geweldig gerommel als de tweeling de trap af stormt. Even later staan ze voor haar neus. „Hallo, ik heet Mathilde," zegt ze een beetje verlegen.

„Ik heet Frank," zegt Frank.

„En ik heet Jelmer," zegt Jelmer.

„Jelmer de Pelmer," zegt Frank.

„Frank Voetenstank," zegt Jelmer.

Zijn haren zijn naar rechts gekamd, ziet Mathilde, en die van Frank naar links. Gelukkig, want zo weet ze wie wie is.

„Ik ga een piratenhut maken, willen jullie meedoen?" vraagt Mathilde.

Even later rennen ze alle drie rond, op zoek naar mooie, grote takken. Ze rennen duin op, duin af.

Opeens roept Frank: „Kijk eens!"

Midden in een duinpan ligt een oude, houten

klomp. Ernaast staat een tak in de grond. Aan de tak wappert een rood lint.

„Die kunnen we goed gebruiken." Mathilde pakt de klomp op. Dan ziet ze opeens een papiertje in de klomp. Ze trekt eraan.

„Wat staat erop?" vragen Frank en Jelmer nieuwsgierig.

Mathildes ogen vliegen over de regels.

„teh mieheg. keoz ed tahcs ijb laap 9," leest ze. Eronder staat een soort landkaart met een kruis erop. „Een schatkaart," fluistert ze opgewonden. „We hebben een schatkaart gevonden!"

Alle drie staren ze naar de kaart. Het lijkt een kaart van een eiland, maar er staat niet veel op. Een soort driehoek met een bolletje erop, en vlak daarnaast een vierkant met een 9 eronder. Er staat ook een kruisje bij.

„Een schatkaart! Grof! Misschien vinden we wel een echte schat," roept Jelmer blij.

„Of een kist met goud," zegt Mathilde opgewonden.

„Maar wat betekenen die letters?" vraagt Frank. Ze turen naar de kaart.

„Mathilde, kom je? We gaan naar het strand!" hoort Mathilde haar vader roepen. Snel vouwt ze de kaart op en stopt hem in haar zak. „Zullen we morgen een geheime vergadering houden?"

Jelmer knikt.

„Bij de hut," zegt Frank.

„Oké, dat doen we," zegt Mathilde. Ze hijst haar broek een beetje op. In haar T-shirt zit een scheur, ziet ze opeens.

Als Mathilde 's avonds onder de douche staat, komt haar moeder binnen. „Ik neem je vuile kleren mee, je pyjama ligt klaar."

„Oké," zegt Mathilde. „O, nee!" roept ze dan. Ze steekt gauw haar hoofd uit de douche. „Ik bedoel, ik maak zelf mijn zakken wel even leeg. Dan hoef jij dat niet te doen."

„Nou, nou, dat is ook voor het eerst," bromt haar moeder. Ze loopt de badkamer weer uit.

Vlug stapt Mathilde onder de douche vandaan. Ze pakt de schatkaart uit haar zak en rent in haar blootje naar haar kamer. Gauw verstopt ze de kaart onder het matras. Zo, die is veilig!

Morgen smokkel ik de kaart naar buiten, denkt ze terwijl ze haar pyjama aantrekt. Ergens op dit eiland ligt een schat. En ik ga 'm vinden, zeker weten!

Schatgraven

Mathilde doet haar ogen open. Een straal zonlicht schijnt precies in haar gezicht. Ze rent naar het raam. In de verte staat de vuurtoren. Rood en groot torent hij boven de duinen uit.

Aan de overkant gaat de deur open. Frank en Jelmer rennen naar buiten. De jongens wenken haar en wijzen naar de hut in de duinen.

Mathilde knikt heel hard 'JA!'. Snel trekt ze wat kleren aan en springt de trap af.

Dan bedenkt ze iets. De schatkaart! Ze rent weer naar boven. Voorzichtig trekt ze de kaart onder het matras vandaan en stopt hem in haar zak. Dan vliegt ze de trap weer af.

„Ho ho, waar ga jij opeens naartoe?" roept Mathildes vader als ze haar gympen aantrekt.

„Met Frank en Jelmer spelen," zegt Mathilde.

„Zonder ontbijt?" Haar vader trekt een wenkbrauw op.

„Het duurt bij jullie altijd zo lang," zucht Mathilde. „Eerst wil je broodjes halen bij de bakker en dan een krantje kopen in het dorp. Dat duurt zooooo lang!"

Haar vader lacht. „Nou, we hebben allemaal vakantie. Hier is een banaan. Kom maar terug als je trek hebt. Tot straks."

Mathilde rent naar buiten. Even later zit ze met Frank en Jelmer bij de piratenhut. Ze bekijken de kaart goed.

Frank houdt de kaart op zijn kop. Hij haalt zijn schouders op. „Ik snap er niks van."

Mathilde kijkt mee. „Hier staat *Het,*" roept ze

opeens. Ze wijst. „Kijk, je moet elk woord van achteren naar voren lezen."

„Het geheim. Zoek de schat bij paal 9," leest Jelmer langzaam. Ze kijken elkaar aan.

„Ik weet alleen niet waar we moeten beginnen," zegt Mathilde. „Hier staat wel een kruisje, maar waar paal 9 is..."

Frank en Jelmer denken diep na. Opeens begint Jelmer te lachen. Hij stoot Frank aan. „Als je de Badweg uit loopt naar het strand, staat er in de duinen een paal. Daar komen we toch langs als we naar het strand gaan? Ik weet alleen niet wat erop staat."

„Kom op, naar het strand!" roept Mathilde.

Met z'n drieën rennen ze de Badweg af. Het laatste stuk is van zand. Ze rennen het duin op.

„Kijk!" wijzen Frank en Jelmer tegelijk. Bij het duin staat een bruine paal.

10 staat er in grote, witte cijfers op.

„Yes," zegt Mathilde blij. Ze tuurt naar links en naar rechts. „Welke kant moeten we nu op?"

Opeens staat ze doodstil. Een man met een

kaal hoofd en een zwart pak loopt over het strand hun kant op. Hij is druk aan het bellen.

„Duiken!" sist Mathilde. Ze trekt de jongens naar achteren.

„Wie is dat?" vraagt Frank zacht. Ze hurken achter een duin.

Mathilde fluistert dat ze de man op de boot heeft gezien en dat hij haar boos aankeek. „Hij dacht vast dat ik hem zat af te luisteren."

Langzaam loopt de man het duin op, de telefoon bij zijn oor. Op de top van het duin stopt hij. „Nee, paal 9 is te gevaarlijk," zegt hij.

De kinderen houden hun adem in. Mathilde gluurt voorzichtig over het duin heen.

De man draait aan zijn gouden oorring. Hij luistert. „We moeten het daar weghalen," zegt hij dan, terwijl hij verder loopt. Hij zegt nog iets, maar Mathilde kan hem niet meer verstaan. Ze ziet dat hij zijn telefoon in zijn zak stopt. Hij slaat het schelpenpad naar de vuurtoren in.

„Kom op," fluistert Mathilde, „we gaan hem volgen!"

Paal 9

Mathilde, Frank en Jelmer wachten even tot ze zeker weten dat de man hen niet meer kan zien. Dan lopen ze voorzichtig naar beneden. Maar als ze het schelpenpad inslaan, is de man al verdwenen.

„Rennen," roept Frank. Ze rennen zo hard als ze kunnen. Het pad kronkelt tussen de duinen door en de kinderen kronkelen mee. Maar hoe ze ook kronkelen, de man is weg.

„Stop maar, jongens," zegt Mathilde na een tijdje, „hij is ontsnapt." Ze gaat hijgend op het duingras zitten.

„Wat doen we nu?" vraagt Jelmer.

Mathilde trekt de kaart uit haar broekzak en zwaait ermee. „We gaan gewoon zoeken naar paal 9. Want daar is het vet gevaarlijk, dat zei die boef zelf." Ze vouwt de schatkaart open.

Frank wijst naar de driehoek met het bolletje

erop. „Wat is dat toch?" vraagt hij.

Ze turen alle drie naar de tekening. Mathilde denkt diep na. Ze staart voor zich uit. Daar staat de vuurtoren, rood en groot. En bol, aan de bovenkant is hij bol.

Mathilde geeft een gil. „Ik weet het! Het is de vuurtoren! Kijk." Ze wijst op de kaart.

Frank en Jelmer kijken. Op de kaart is de vuurtoren niet rood en groot, maar zwart en klein. Maar toch…

„Dat is hem!" roept Frank.

„Dus we moeten over het schelpenpad naar de vuurtoren gaan," zegt Jelmer.

Al gauw lopen ze weer over het schelpenpad. Frank en Jelmer zingen een piratenlied. De vuurtoren komt al dichterbij.

Mathilde roept opgewonden: „Wie er het eerste is!" En ze rent hard weg.

Frank en Jelmer rennen achter haar aan. „Dat is niet eerlijk!" schreeuwen ze. Frank trekt aan haar T-shirt en Jelmer rent hen allebei voorbij.

Even later staan ze alle drie te hijgen bij de vuurtoren. Daar is het stil. Ze kijken om zich heen. Het schelpenpad splitst zich in tweeën. Eén pad loopt naar zee en het andere gaat

verder door de duinen. Ze kijken weer op de kaart.

„Die nemen we," zegt Frank. Hij wijst. „Dat pad gaat naar zee. Daar moet paal 9 zijn."

Het is maar een kort schelpenpaadje. Al gauw gaat het over in een breed zandpad.

De kinderen rennen omhoog. Opeens staan ze stokstijf stil. Aan de andere kant van het pad staat een groot, zwart gebouw. En op dat grote, zwarte gebouw staat in grote, gouden letters: *PAAL 9*.

Belletje trekken

„Paal 9!" Mathilde en de jongens zeggen het alle drie tegelijk. Ze lopen naar het gebouw toe. Daar blijven ze staan.

Er is niks te horen. Alleen de wind die het helmgras naar beneden blaast. In de verte lopen een paar mensen op het strand. Maar hier is verder niemand.

„Wat is dit voor gebouw?" vraagt Frank.

Mathilde haalt haar schouders op. „Geen idee. Raar dat er geen ramen in zitten. Zullen we er eens omheen lopen?"

Ze lopen om het gebouw heen. Ernaast ligt

een parkeerplaats. Er staat één zwarte auto op.

„Mooie auto," zeggen Frank en Jelmer tegelijk.

Ze slaan een hoek om naar de voorkant van het gebouw. Opeens houden ze hun handen voor hun gezicht.

„Au, mijn ogen!" roept Jelmer.

Mathilde kijkt voorzichtig tussen haar vingers door. „Het is een deur. Hij lijkt wel van goud!"

Er schuift een wolk voor de zon. De deur schittert nu niet meer.

„Wat nu? Zullen we aanbellen?" vraagt Frank.

Mathilde schudt haar hoofd: „Nee, dat is te gevaarlijk."

„Laten we belletje trekken!" zegt Frank opeens. „Als er niemand is, dan is er niemand. En als er wel iemand is, dan kunnen wij kijken wie dat is."

„Goed idee, joh," lacht Mathilde.

Ze rennen naar de deur van Paal 9.

„Ik wil bellen," zegt Jelmer.

„Nee, ik!" roept Frank een beetje boos. „Het was mijn idee."

„Geen ruzie maken, Frank heeft gelijk," komt Mathilde te hulp.

En dus belt Frank. Meteen rennen ze snel weg, naar de zijkant. Voorzichtig steken ze hun hoofden een klein stukje om de hoek.

Mathilde voelt opeens dat ze moet plassen. Maar dat kan nu niet.

De deur gaat open. Eerst gebeurt er niets. Dan komt er iemand naar buiten. Het is een lange man en hij is kaal. Hij heeft een zwart pak aan.

„O nee," kreunt Jelmer. „Dat is hem!"

De man draait zich om. Op zijn schouder zit een vogel. Hij fladdert even op en gaat dan weer zitten.

„Kijk, hij heeft een papegaai!" fluistert Frank opgewonden.

De man loopt naar de parkeerplaats. Even later komt hij weer terug. „Nou, daar snap ik niets van," hoort Mathilde hem zeggen.

„Daar snap ik niets van, daar snap ik niets van!" schreeuwt de papegaai.

„Kop dicht, Haak," zegt de man boos.

Mathilde hoort nog net dat de papegaai „Kop dicht, Haak," zegt en dan gaat de deur weer dicht.

„Oefff, dat ging maar net goed!" Opgelucht leunt Mathilde tegen de zwarte muur aan. „Alleen snap ik het niet. Hij zei dat Paal 9 te gevaarlijk is. En nu is hij er zelf!"

„Wel gaaf, zo'n papegaai," zegt Jelmer.

„Wel gaaf, zo'n papegaai," zegt Frank hem na.

Ze liggen opeens gierend van het lachen tegen elkaar aan.

„Koppie krauw."

„Je oma heeft een schele pauw."

Ze komen niet meer bij van het lachen. Steeds zeggen ze rare zinnen en doen de papegaai na.

„Belletjetrekkers! Als ik het niet dacht."

Verschrikt kijken ze op. De man staat vlak voor hen. Met de papegaai. En hij is boos, heel boos.

Een plan

„Nou? Komt er nog wat van?" snauwt de man.

Mathilde en haar vrienden kijken hem een beetje bang aan.

„Het spijt me, meneer," zegt Mathilde. Ze probeert erg lief te kijken. „We, eh... we vonden het zo'n raar gebouw."

„Ja, en we dachten dat er niemand was, omdat het zo stil was," vult Frank aan.

Jelmer staart naar de papegaai. Maar die zegt niets. „We waren op zoek..." begint Jelmer.

Mathilde geeft hem een duw. „...naar mooie gebouwen," zegt ze snel. „Eerst waren we bij de vuurtoren en toen kwamen we hier. Wat is dit eigenlijk voor een gebouw?"

„Paal 9 is een discotheek," zegt de man. „Mijn disco. Ik ben de eigenaar."

„Ik ben de eigenaar!" schreeuwt Haak.

„Ja, dat zou je wel willen, Haak," grinnikt de

man. Dan staart hij Mathilde aan. „Ken ik jou niet ergens van?"

„Ik denk 't niet, meneer," zegt Mathilde onschuldig.

„Nou, in elk geval hebben jullie hier niets te zoeken. Ga maar ergens anders spelen." De man draait zich om en loopt weer naar binnen.

„Waarom mocht ik nou niks zeggen?" vraagt Jelmer verbaasd.

„Snap je dat dan niet, Jelmer de Pelmer?" Mathilde kijkt scheel. „Misschien is hij wel een piraat en heeft hij de schat in Paal 9 verstopt."

Frank denkt na. „Maar waarom zei hij dan dat het gevaarlijk was in Paal 9? En met wie praatte hij aan de telefoon?"

„Snap je dat dan niet, Frank Voetenstank?" Jelmer trekt een gekke bek. „Elke keer als hij geld nodig heeft, pakt hij wat van de schat!"

„Ja, maar dat is natuurlijk vet gevaarlijk," gaat Mathilde verder, „want in een disco komen heel veel mensen. Dus wil hij de schat ergens anders verstoppen. En dat doet hij samen met een andere piraat. Want die schat is superzwaar, allemaal goud en zo. Dat kan hij niet alleen optillen. Snappie, Frank Voetenstank?"

„Ja hoor, Mathilde de Pilde..." Frank kijkt op zijn horloge. „O jee, we moeten naar huis. Zullen we na het eten naar de hut gaan? Dan bedenken we een plan om de schat te vinden."

Dat vinden de anderen een goed idee. Ze rennen van het duin af naar het strand.

„Aaauuw!" Jelmer ligt in het zand. Mathilde en Frank rennen naar hem toe. Zijn knie bloedt.

Frank pakt een stuk hout op. Er steekt een spijker uit. „Daar ben je op gevallen," zegt hij.

Mathilde trekt haar T-shirt uit. „Ik zal je even verbinden. Dat is heel belangrijk. Want anders wordt de wond vies en gaat-ie rotten. En dan moet je been eraf. Zo gaat dat bij piraten."

Jelmer kijkt haar verschrikt aan.

Mathilde grinnikt. „Grapje!"

„We moeten bij Paal 9 binnen zien te komen," zegt Mathilde als ze 's middags in de hut zitten. „Maar hoe?"

Jelmer haalt drie lolly's te voorschijn en deelt ze uit. Alle drie denken ze hard na, terwijl de lollystokjes uit hun mond steken.

Op Jelmers knie zit een pleister. Mathilde staart ernaar. „Als een kind aanbelt met een kapotte knie," zegt ze langzaam, „dan doet een volwassene daar een pleister op. Toch?" Ze springt op en rent weg. „Kom mee! We gaan spioneren in Paal 9!"

Spionnen

„Ik ga niet nog een keer vallen," moppert Jelmer, „dat doe je zelf maar."

Mathilde lacht. „Dat hoeft helemaal niet. Je hebt toch al een kapotte knie? We halen de pleister eraf en dan moet je eraan krabben."

Jelmer trekt de pleister meteen los. Hij haalt zijn nagel over zijn knie. Het bloed begint te druppelen.

„Het lijkt nog niet echt genoeg," zegt Mathilde.

Jelmer krabt weer over de wond en trekt een korstje weg. Zijn handen worden rood van het bloed. „Ziezo," zegt hij tevreden.

Even later drukt Mathilde op de bel van Paal 9. Opeens schijnt de zon op de deur. Ze knippert met haar ogen.

„Hij heeft echt veel geld," zegt Frank zacht. „Een gouden deur is heel erg duur."

Meteen wordt de deur opengedaan. „Krijg nou wat!" zegt de man met de papegaai. „Wat moeten jullie nu weer?"

„Mijn broer is gevallen," zegt Frank snel. „Heeft u ook een pleister?"

De man zucht. „Kom maar mee," zegt hij dan.

„Kom maar mee!" schreeuwt de papegaai.

„Leuke papegaai heeft u," zegt Mathilde.

De man geeft geen antwoord. Ze lopen de disco binnen. Midden in de zaal ligt een enorme vloer van metaal.

„Is dat goud?" vraagt Frank.

De man zoekt iets achter de bar. „Nee, de vloer is van koper en de buitendeur ook. Ik kan hier geen pleisters vinden. Blijven jullie hier, dan kijk ik even in de kelder." Hij loopt weg.

„De kelder!" fluistert Mathilde opgewonden. „We moeten hem volgen."

De jongens knikken.

„Wacht even, anders hoort hij ons," fluistert Frank. Hij kijkt op zijn horloge. Dan geeft hij een teken.

Ze sluipen naar de deur waardoor de man verdwenen is. Achter de deur loopt een trap naar beneden. Ze spitsen hun oren. Stemmen!

„Nee, we moeten het nu in dozen stoppen," hoort Mathilde de kale man zeggen. „Hier kunnen we het niet meer verspreiden, dat valt te veel op."

„Dat valt te veel op!" brult Haak.

Mathilde loopt zachtjes de trap af. Frank en Jelmer sluipen achter haar aan.

De kale man staat te praten met een man met een blonde paardenstaart. Achter de mannen staat een deur open. Mathilde ziet een stukje van een soort machine.

Dan ziet de kale man haar. Hij doet snel de deur dicht.

„Is het gelukt met de pleister?" vraagt Mathilde onschuldig.

De man kijkt haar kwaad aan. „Ik heb toch gezegd dat jullie boven moesten blijven," snauwt hij. Hij pakt een pleister uit een verbanddoos. „Hier, ophoepelen, doe die pleister er buiten maar op."

Hij steekt opeens zijn vinger uit en wijst naar Mathilde. „Ik ken jou van de boot. Jij bemoeit je steeds met zaken die je niet aangaan. Ik wil jullie hier nooit meer zien, anders zwaait er wat!"

De schatkist

„Wat doen we nu?" vraagt Jelmer. Hij plakt de nieuwe pleister op zijn knie. Ze zitten in een duinpan en staren naar Paal 9.

Mathilde kauwt op een sprietje helmgras en denkt na. „Kale kop is een echte griezel en die Paardenstaart ook," zegt ze. „En volgens mij zijn het boeven. Ze doen vast iets wat niet mag."

„Ja," zegt Frank. „Waarom mochten wij niet in de kelder komen? Er is daar vast iets. Het geheim van Paal 9. Nou, leuk hoor. Wij komen er toch nooit meer in!" Hij staart somber naar zijn sandalen.

Mathilde spuugt het helmgras uit en voelt in haar zak naar een kauwgumpje. In plaats daarvan voelt ze de schatkaart. Ze haalt de kaart uit haar zak en vouwt hem open. De vuurtoren, het vierkantje, het getal 9, het kruisje...

Opeens slaat ze met haar hand tegen haar

voorhoofd. „Jongens, wat zijn wij stom! Kijk, bovenaan staat het vierkantje en daaronder 9. En daaronder weer een kruisje!"

Frank haalt zijn schouders op. „Nou, en?"

Jelmer begint opeens te lachen. „Paal 9!" roept hij. „De schat is bij de andere paal 9!"

Nu snapt Frank wat ze bedoelen. Tegenover Paal 9, aan de andere kant van het duinpad, staat een paal. Alleen het bovenste stuk is te zien, de rest is verstopt achter een duin.

Ze rennen erheen. **9** staat op de paal.

„Kom op, graven!" roept Mathilde.

Overal groeien planten en gras. Na een tijdje hebben ze met hun handen een flinke geul om de paal gegraven.

„Ik voel wat!" roept Jelmer. Van onder het zand komt een doosje te voorschijn.

„Een knopje," wijst Frank. „Druk 'ns."

Het doosje springt open. Ze staren er verbaasd naar.

„Leeg," mompelt Mathilde teleurgesteld. Ze pakt het doosje beet. Het voelt zwaar aan. Als ze ermee schudt, hoort ze gerammel. Ze laat haar vingers over de zijkanten glijden, maar er gebeurt niets. „Misschien is er nog een geheime knop. Die doos is veel te zwaar om leeg te zijn."

„Bukken!" sist Frank opeens.

Mathilde en Jelmer laten zich meteen plat op hun buik vallen.

„Het zijn die kerels weer," fluistert Frank.

Ze turen voorzichtig naar de discotheek. Kale Kop en Paardenstaart zetten juist een paar dozen bij de zwarte auto neer. Paardenstaart voelt in zijn zakken en zegt iets tegen Kale Kop. Die voelt ook in zijn zakken en schudt zijn hoofd. „Ze zijn vast de autosleutels kwijt," zegt Jelmer zacht.

De mannen lopen weer naar binnen.
Sorry Jos, denkt Mathilde, maar ik ga toch boeven vangen! Ze drukt Frank de doos in zijn handen en rent naar de auto. Snel vouwt ze een van de dozen open.
„O nee!" kreunt Frank. „Paardenstaart komt weer naar buiten."
Jelmer en Frank zien dat Mathilde zich bukt en onder de auto kruipt.

Paardenstaart kijkt verbaasd naar de open doos. Hij krabt zich achter zijn oor. Dan haalt hij zijn schouders op en vouwt de doos dicht.

„Hij snapt niet waarom die doos opeens open is," zegt Frank zacht.

Jelmer knikt.

De man doet de achterklep van de auto open. Dan bukt hij zich om een doos te pakken.

„Als hij haar maar niet ziet," fluistert Jelmer.

Maar Paardenstaart ziet niets. Hij zet de dozen in de auto en loopt weg. De klep laat hij open staan.

Meteen komt Mathilde onder de auto vandaan. Ze rent over een duin heen en laat zich vallen.

Net op tijd. De twee mannen komen er weer aan. Ze zetten nog twee dozen in de auto en rijden dan weg.

Even blijft het stil. Dan komt Mathilde overeind en rent naar Jelmer en Frank toe. Ze heeft iets in haar hand en zwaait ermee. „Het zijn echte boeven," schreeuwt ze. „En ik weet wat ze van plan zijn!"

Vals geld

„Wat heb je daar?" Nieuwsgierig springen Frank en Jelmer op.

„Tatarata tata!" roept Mathilde. Ze wappert met een papiertje voor hun neus.

„Een bankbiljet!" roept de tweeling in koor.

„Die hele doos zat er vol mee," vertelt Mathilde snel. „Volgens mij hebben die kerels in de kelder vals geld gemaakt." Ze houdt het briefje tegen het licht. „Zie je: er is geen watermerk!"

„Wat doen we nu?" vraagt Jelmer.

„Hard rennen," zegt Frank, „want ze willen het geld daar weghalen. En je kunt maar op één manier van het eiland af!"

„We moeten naar de boot," schreeuwt Jelmer. Hij stormt al naar beneden.

„Ho ho," roept Mathilde. „Op de tv zeiden ze dat je vals geld naar de politie moest brengen.

Daar moeten we heen!" Ze rent ook weg.

„Hé," roept Frank, „jullie vergeten het doosje!"

„Neem maar mee," schreeuwt Jelmer. „We moeten nu eerst naar de politie!"

Ze rennen, vliegen, struikelen en hijgen, want het dorp is ver weg. Eindelijk! Naast de bakker staat een klein politiebureau.

Als ze binnenkomen, kijkt een politieman op van zijn computer. „Goedemiddag," zegt hij vriendelijk. „Wat kan ik voor jullie doen?"

„We hebben vals geld gevonden," zegt Mathilde buiten adem.

De agent begint te lachen. „Vals geld? Jullie? Nou, laat maar eens zien!" Hij pakt het briefje aan en bekijkt het. Opeens lacht hij niet meer.

„En wij weten ook wie dat geld maakt," zegt Jelmer trots.

„Dit biljet is inderdaad vals," zegt de agent langzaam. Hij kijkt hen ernstig aan. „Sorry dat ik lachte. Ik dacht dat het een grap was. Weten jullie echt waar dit geld vandaan komt?"

Mathilde knikt. Snel vertelt ze het hele verhaal: over Kale Kop, Paardenstaart, de kapotte knie, de dozen in de auto...

„Een zwarte BMW," zeggen Frank en Jelmer tegelijk.

De politieman kijkt op zijn horloge. „De boot vertrekt zo," mompelt hij, „ik zal de kapitein even bellen." Hij pakt de telefoon en kijkt de kinderen aan. „Jullie hebben heel goed geholpen, maar nu moeten jullie naar huis. En ga alsjeblieft niet meer naar Paal 9, oké? Laat het boeven vangen maar aan ons over." Hij toetst een nummer in.

Ze lopen naar buiten. „Ik heb honger," zegt Jelmer. Hij kijkt naar de bakker.

Tegenover de bakker is een winkel voor toeristen. Mathilde voelt in haar zakken. Ze geeft een euro aan Jelmer. „Als jij nou iets lekkers haalt, dan koop ik even een ansichtkaart." Snel zoekt ze in de winkel de mooiste kaart van de vuurtoren uit.

„Zal ik de postzegel er maar meteen op

plakken?" vraagt de verkoopster vriendelijk.

„Nee, dat hoeft niet," zegt Mathilde snel.

Even later lopen de kinderen het dorp uit, naar huis. „Lekkuhu kwentubol," zegt Mathilde met volle mond.

De jongens knikken. Ze hebben hun krentenbol al op.

Frank haalt de schatdoos te voorschijn. „Zullen we straks meteen naar de geheime hut gaan? Dan proberen we hem daar open te maken."

„Goed idee," zegt Jelmer.

Mathilde knikt, haar mond vol krentenbol.

Maar van dat plan komt niet veel terecht.

„O o," zegt Frank als ze hun huisjes zien. Want ze zien niet alleen de huisjes. Voor huize Cootje staan Mathildes ouders met de moeder van de tweeling te praten. Als ze de kinderen zien, zwaaien ze driftig met hun armen.

„Volgens mij zijn ze een beetje boos," zegt Mathilde, „een beetje erg boos!"

De schat

Het regent. Mathilde zucht en kijkt naar buiten. „Mag ik buiten spelen?" vraagt ze.

„Nee," zegt haar moeder streng. „Jij bent gisteren wel genoeg buiten geweest." Haar ouders waren de vorige dag niet zo blij, en de moeder van Frank en Jelmer ook niet.

„We waren niet zoek, we waren alleen maar even weg!" riep Mathilde nog.

Maar daar werden de ouders niet blijer van. Het werd pas een beetje beter toen ze alles verteld hadden.

Mathildes vader zuchtte en lachte tegelijk. „Boeven vangen, waar heb ik dat eerder gehoord?"

Mathilde grijnst als ze eraan terugdenkt. Ze pakt de ansichtkaart met de vuurtoren. Ze zet het adres van Jos er netjes op. Dan schrijft ze op de plaats van de postzegel heel klein:

boeven gevangen en schat gevonden!

Ze plakt de postzegel over de letters heen en schrijft haar naam op de kaart. Dan tekent ze een grote pijl die naar de postzegel wijst. „Ziezo," zegt ze tevreden.

Er wordt gebeld. „Loop maar door," hoort ze haar moeder zeggen.

Frank en Jelmer rennen naar binnen. „Kom je mee buiten spelen?" vragen ze tegelijk.

„Ik mag niet naar buiten," zucht Mathilde.

Ze ziet dat Frank op zijn volle broekzak klopt en haar vragend aankijkt.

Mathilde snapt het meteen. Zonder iets te zeggen rent ze naar boven, en Frank en Jelmer rennen achter haar aan.

Even later voelen ze van alle kanten aan het doosje. Er gebeurt niets. Frank doet het open.

„Heb je een zakmes?" vraagt Jelmer opeens.

Mathilde zoekt tussen haar spullen, die overal op de grond liggen. „Hebbes," zegt ze.

Jelmer steekt het mes voorzichtig langs de zijkant naar beneden. Even later wipt de bodem omhoog.

„Een dubbele bodem, cool zeg!" fluistert Mathilde.

Eindelijk zien ze wat er in de doos ligt: snoep, kauwgumplaatjes, een paar mooie schelpen en een brief. Vlug vouwt Mathilde de brief open.

Natuurlijk is het geen gewone brief. „Het staat weer achterstevoren," lacht Mathilde.

„Dit was onze schat," leest ze langzaam, terwijl haar vinger onder elk woord van rechts naar links gaat. „Je mag hem houden. Wil je een nieuwe schatkaart in de klomp verstoppen? En een nieuwe schat in de doos? Dan gaan we hem volgend jaar zoeken. Onze vakantie is nu voorbij.

Daag! Derk en Rosa.

Tevreden pakt Mathilde een snoepje. Ze geeft

Frank en Jelmer er ook een.

„Gaaf bedacht," zegt Frank.

„Waar zullen we onze schat verstoppen?" vraagt Jelmer. „We moeten een hele goeie plek vinden."

„Hé, het regent niet meer," roept Mathilde. Ze loopt naar het raam. Donkerrood steekt de natte vuurtoren boven de duinen uit. „Bij de vuurtoren!" roept ze opeens.

„Yes!" schreeuwen Frank en Jelmer.

„Mathilde! Frank en Jelmer! Kom gauw beneden," roept Mathildes vader opeens. „Er is nieuws over het valse geld!"

Beneden staat de tv aan. „Ze zijn gepakt, jongens!" zegt Mathildes moeder blij.

Op de televisie zien ze de haven van het eiland. Voor de veerboot staan de politieman en een verslaggever.

„Beide mannen zijn gepakt toen ze het eiland wilden ontvluchten. Drie slimme kinderen hebben ons een gouden tip gegeven," zegt de agent ernstig.

Mathilde kijkt trots naar Frank en Jelmer.

„De mannen stonden met hun auto vol dozen vals geld al op deze boot." De agent wijst achter zich.

„Het was dus makkelijk ze te arresteren," zegt de verslaggever.

De politieman knikt. Dan lacht hij opeens. „De enige die veel lawaai maakte, was hun huisdier, een papegaai." Hij kijkt weer ernstig. „Ik heb nog een vraag. Willen de kinderen die ons zo goed hebben geholpen, een keer langskomen op het politiebureau? We willen ze graag bedanken."

„Misschien krijgen we wel een paar echte handboeien," zegt Jelmer.

„Of een politiepet," vult Frank aan.

„Of van dat mooie valse geld om mee te spelen," roept Mathilde.

„Reken daar maar niet op," lacht haar moeder. „Dat geld gaan ze versnipperen. Als je vals geld wilt, moet je het zelf maken."

Mathilde kijkt van Jelmer naar Frank. Frank

wijst naar Mathildes kamer. Jelmer beeldt met zijn handen een doosje uit.

„Gaaf idee, mam," roept Mathilde en ze graait stiften en papier uit de kast.

Ziezo, denkt ze tevreden. De boeven zijn gevangen, en nu kunnen we verder met de schat. We gaan een hele mooie schat maken. Met heel veel vals geld!